COLLECTION FOLIO

Philippe Delerm

Il avait plu tout le dimanche

Mercure de France

Philippe Delerm est né le 27 novembre 1950 à Auvers-sur-Oise. Ses parents étaient instituteurs et il a passé son enfance dans des « maisons d'école » à Auvers, à Louveciennes, à Saint-Germain.

Après des études de lettres, il enseigne en Normandie où il vit depuis 1975.

Il a reçu le prix Alain-Fournier 1990 pour *Autumn* (Folio n° 3166), le prix Grandgousier 1997 pour *La première gorgée de bière et autres plaisirs minuscules*, le prix des Libraires 1997 et le prix national des Bibliothécaires 1997 pour *Sundborn ou les jours de lumière* (Folio n° 3041).

Y a-t-il quelqu'un ici qui veuille m'aimer ?

JOHNNY HALLYDAY

Il faut habiter à Paris. Si monsieur Spitzweg fouille au plus profond des règles qui dominent son existence, cet axiome seul surnage, comme si tout le reste en découlait... Tout le reste... Monsieur Spitzweg serait un peu embarrassé de dire quel reste. Quand il a été nommé à Paris il y a trente ans, après son succès à l'examen des Postes, monsieur Spitzweg n'a pas vraiment choisi son quartier. Le XVIIIe n'était pas trop cher, alors il a trouvé ce petit deux-pièces, premier étage à gauche, 226 rue Marcadet, juste en face du square Carpeaux. L'appartement est exigu, bien sombre — il faut de la lumière presque tout le jour —, mais l'immeuble en pierre de taille a belle allure. Il y a des plantes vertes dans l'entrée, un tapis rouge très passable encore court dans l'escalier. Le petit baratin biquotidien avec la concierge a été remplacé par la sécheresse d'un bip électronique après pianotage du code d'accès, mais enfin monsieur Spitzweg se sent chez lui. Il a ses habitudes.

Mais là n'est pas la question. Monsieur Spitzweg pourrait prétendre que chaque quartier de Paris est un village, que le sien, en particulier... Mais ce genre de cliché bucolico-urbain n'est pas dans le tempérament d'Arnold Spitzweg, sachez-le. Non, ce qui lui plaît est plus impalpable ; à Paris, monsieur Spitzweg se sent au centre des choses. Si vous lui demandez pourquoi, il prendra un air doctoral, presque agressif, les mâchoires serrées, une moue dénégative aux lèvres :

— Parce que c'est là que ça se passe, et puis voilà.

Voilà. Vous ne serez pas plus avancés. C'est à Paris que ça se passe. Quoi ? Eh bien ça, voyons. Ce qui donne aux piétons patauds le délicieux sentiment d'errer au cœur du monde. Avec Gavarni, monsieur Spitzweg pourrait dire : « Rue La Bruyère, quels caractères ! Quelles maximes, rue La Rochefoucauld ! » Mais c'est plus que cela. Monsieur Spitzweg aime Paris. La douceur d'un soir d'octobre, accoudé au parapet du pont Louis-Philippe. La nuit qui vient dans la lueur des phares. Tous les passés, pas d'avenir. Ah ! oui, c'est là que ça se passe.

Monsieur Spitzweg est seul. Ça s'est fait tout doucement. Une jeunesse en Alsace. L'idylle informulée avec Hélène, la fille de la Winstub Necker. Une idylle lourdement supposée par tous les regards du village, et les petites phrases à la boulangerie. Tellement qu'à la fin, Hélène s'est lassée de l'idée trop vieille. Elle aimait bien Arnold Spitzweg, sans plus. Sous les cheveux blonds et fins de son promis, on devinait l'arrondissement futur des traits, la calvitie prochaine. Elle a préféré le grand Wolheber, un fils de vigneron très brun, épaules larges, hanches étroites.

Arnold est parti à Paris pour ça aussi. Pas que pour ça. Ça lui plaisait d'être le fils Spitzweg qui travaille à Paris. Puis ses parents sont morts, et plus grand monde à retrouver à la winstub, à l'heure des noix, du vin nouveau. Alors on revient moins souvent, de moins en moins faraud. À Kinzheim, il y a encore une poignée de gens pour lui lancer :

— Arnold ! Comment ça va dans la capitale ?

Arnold... Oh ! bien sûr, il est encore capable d'échanger quelques phrases en dialecte. Mais son prénom lui semble drôle, comme un habit d'emprunt qu'on glisserait sur lui. Même en parlant il se sent seul. Monsieur Spitzweg.

Monsieur Spitzweg n'a pas de répondeur sur son vieux téléphone. Personne ne l'appelle. Quelle idée l'a donc pris d'acheter un portable ? Dès son apparition sur les trottoirs parisiens, cet objet l'a fasciné. Un jour, tout près de lui, un golden boy a sorti l'appareil de sa poche, avec une désinvolture calculée. Il a tiré la petite antenne, pianoté sur les touches, puis s'est mis à parler. Monsieur Spitzweg a senti aussitôt une grande bouffée de mélancolie le traverser. Quoi, en plein milieu de la rue de Rennes, à deux pas de la Fnac, on pouvait ainsi d'un seul coup s'envoler, faire semblant de continuer à marcher au cœur de la foule pressée, et parler en même temps à quelqu'un, dans un jardin, peut-être, ou au bord de la mer ?

Monsieur Spitzweg a songé aussitôt à Hélène Necker, ce qui ne lui était pas arrivé depuis longtemps — oui, c'est Hélène qu'il aurait appelée. Il l'aurait surprise seule en plein silence du village au début de l'après-midi, ses enfants à l'école, son grand dadais de Wolheber sulfatant le vignoble.

— Excuse-moi, Hélène, je t'entends moins bien. Ça doit être à cause de la tour Montparnasse.

Son prestige de Parisien serait devenu tangible et presque fantastique, un peu comme s'il venait à l'instant de quitter l'école primaire de Kinzheim pour épater enfin la petite fille aux nattes longues qui poussait son palet sur la marelle sans le regarder. Quel rapport ? Dans le portable du golden boy, monsieur Spitzweg croyait entendre ce chuintement de l'eau sur l'urinoir, à la récréation du soir.

Trois jours plus tard, monsieur Spitzweg s'est offert un portable. Au bureau de poste de la rue des Saints-Pères il n'en a parlé à personne. Un peu lâchement, il a même fustigé un jour devant ses collègues tous ces hommes d'affaires qui « se font voir » sur les trottoirs de la capitale. Depuis, la mode s'est tassée, la gloire du marcheur au portable a diminué. Mais pour monsieur Spitzweg, la magie demeure. Il ne « se fait pas voir ». Il se fait exister. Il rentre chez lui à pied. Arrivé sur la place de la Concorde, ou bien à la Madeleine, il sort son appareil d'un air gourmand, et tout à coup se sent en possession du monde. 08 36 68 02 75. Il appelle la météo. Monsieur Spitzweg aime savoir le temps qu'il va faire sur ses jours.

— Non, moi ça ne me choque pas.

Monsieur Spitzweg entend cette phrase bien souvent. Il faut dire qu'il part au quart de tour, de préférence à la cantine. Ce n'est pas le flacon de rouge Garriguette qui l'enflamme. Plutôt une juste colère, qui vient à l'amorce de la digestion titiller son pouvoir d'indignation. C'est plus fort que lui.

Dès qu'il commence à monter sur ses grands chevaux, monsieur Spitzweg sent tout à coup son auditoire s'éloigner. On le regarde s'empêtrer, tempêter. Plus il se fait volubile, plus on devient autour de lui circonspect, poliment réservé, et bientôt vaguement critique. Cela se lit sur les lèvres un rien boudeuses, les regards un brin absents. La véhémence de monsieur Spitzweg s'accroît. À défaut de susciter l'adhésion, il voudrait bien croiser le fer. Il devient tout rouge. On est gêné pour lui. L'animal à sang chaud n'y tient plus : quelle est autour de lui cette conjuration de batraciens paisibles, de caméléons somnolents ? Quelqu'un finit par laisser tomber du haut de son Olympe la petite phrase assassine :

— Non, moi ça ne me choque pas !

Et chaque fois, monsieur Spitzweg se fait piéger. Éperdu, dérisoire, il sait combien tous ses discours sont vains devant ce détachement triomphant. Ah ! oui, la prochaine fois il attendra que les autres s'engagent. Il trahira, passera dans l'autre camp pour le plaisir de boire enfin un café sage, touillé d'une main ferme, dépourvu de passion. La prochaine fois, c'est lui qu'on ne choquera pas. La prochaine fois.

Monsieur Spitzweg n'a rien contre les supermarchés. Souvent il apprécie les surgelés, voire les plats cuisinés sous cellophane. Ce soir, il a envie d'une petite choucroute — de son dernier voyage en terroir alsacien, il a rapporté quelques bonnes grosses bouteilles d'edelzwicker comme on n'en trouve pas à Paris. Mais la choucroute pour deux personnes, dans sa barquette de porcelaine à conserver, est vraiment trop opulente et peu appétissante, avec ses saucisses rosâtres dont le colorant a bavé en auréole sur le chou. Alors il cherche un pot de choucroute au naturel, puis des saucisses de Francfort et de Strasbourg. Hélas, la superette les vend par six. Monsieur Spitzweg sent monter le coup de sang.

— Puisque c'est comme ça, j'irai acheter ma choucroute chez madame Bornand !

L'intimité de monsieur Spitzweg avec sa charcutière est des plus relatives. Si le nom de Spitzweg remonte parfois jusqu'aux lèvres de madame Bornand, celle-ci lui réserve plus habituellement un de ces « Bonjour monsieur euh... » d'une équivoque amabilité, où le mouvement de reconnaissance souligné par le haussement jovial du menton se voit aussitôt discrédité par le « euh... » défaillant. Mais justement. Décréter devant madame Bornand qu'on a positivement été écœuré par la qualité choucroutière du supermarché, et qu'on revient avec une saine colère se rassurer entre ses mains expertes, voilà qui est de nature à resserrer les liens. Monsieur Spitzweg n'est pas mécontent à l'idée de cette petite scène. Si deux ou trois clients se trouvent dans la boutique, elle sonnera mieux encore. Sur le trottoir, un sourire matois aux lèvres, il fait danser dans sa tête deux ou trois phrases bien balancées.

Mais madame Bornand est toute seule dans sa boutique, et monsieur Spitzweg le sent tout de suite : trop préparée, sa première phrase s'est un peu étranglée dans sa gorge, et n'a pas produit l'effet de complicité désiré.

— Figurez-vous...

Madame Bornand marque une imperceptible hésitation. Quel est ce subterfuge alambiqué ? Ne sont-ce pas ses propres saucisses qui sont visées, mises en cause d'hypocrite manière ?

Mais elle se rassure en voyant l'air penaud de monsieur Spitzweg. Pendant qu'elle pèse cent cinquante grammes de choucroute sur la balance, elle lance pour se dédouaner :

— Alors, comme ça, on était en train de vous servir, et vous avez dit : « Stop ! » ?

Monsieur Spitzweg est au supplice. Il ne saurait confirmer cette version héroïque des faits sans basculer dans le grossier mensonge. Alors, piteusement, il doit bien convenir qu'on ne le servait pas, mais que c'est lui qui s'est dit simplement...

Le « ah ! bon » de madame Bornand est tout à fait condescendant. Monsieur Spitzweg a perdu son sourire. Il sort de la charcuterie, son petit paquet à plat dans la main droite. Autant dire que la soirée a perdu tout prestige. Il ne la trouvera pas si fameuse, la choucroute de madame Bornand. Est-elle maison, au moins ? Rien de potable à la télé. Monsieur Spitzweg se sent bien sceptique.

Monsieur Spitzweg n'est pas un coureur de musée. Mais il « fait » toutes les grandes expositions quand même. Peu importe le genre. Toulouse-Lautrec, Chagall, Sisley, Corot, Bacon, Picasso. Par ailleurs, la peinture tient dans sa bibliothèque et dans sa vie une place des plus modestes. Mais il ne s'agit pas vraiment de peinture. Plutôt d'une espèce de rite, que ces dernières années ont gentiment imposé. Même parmi les esprits les plus télévisuellement primaires du bureau de poste de la rue des Saints-Pères, la question trouve sa place :

— Vous avez vu Bacon ?

— Oh ! je n'ai pas eu encore le temps. Enfin, il reste encore un mois !

C'est un devoir. Monsieur Spitzweg aime bien trouver son plaisir dans le devoir.

Il y a déjà cette façon d'avoir à faire la queue.

Plus de trois heures sur le trottoir, parfois. C'est très rassurant. Si l'on attend, c'est qu'il y a quelque chose à voir. Dans les pays de l'Est, on patiente bien devant les magasins d'alimentation. À Paris, on fait la queue pour Bacon. Toujours ce petit regard étonné quand on découvre l'ampleur de la catastrophe, le serpent humain étiré sur trois cents mètres de longueur. Mais on trouve sa place. La soumission courtoise de la foule semble des plus réconfortantes. Après être resté parfaitement immobile pendant une demi-heure, c'est délicieux de sentir une onde d'espérance s'ébranler, caresser la colonne vertébrale du troupeau : mine de rien, regard absent, on vient d'avancer de trois mètres, à pas presque latéraux. Rien que des gens civilisés, pas de compression excessive. Chaque homme reste une île, dans l'attente de Bacon.

Monsieur Spitzweg garde un souvenir assez vague des différentes expositions qu'il a mérité de voir. Mais il peut faire défiler dans le détail de sa mémoire chacune des files d'attente, où jamais l'élan ne se déclenche de manière identique. Une fois le musée atteint, les choses se banalisent et se précipitent. Les gens s'agglutinent désagréablement devant les toiles. Et puis monsieur Spitzweg doit en convenir. Il est un déplorable élève de musée. La toile qu'il finit toujours par préférer, c'est ce petit coin de jardin découpé par une haute fenêtre, entre deux salles. Certes, on pourrait lui opposer que pour ces toiles-là, un musée désert ferait l'affaire. Mais la jubilation à regarder par la fenêtre est d'une tout autre essence, quand, tout autour de soi, la foule se compresse, et qu'après tant de servilité processionnaire on se sent tout à coup affranchi, différent.

Pour le reste, un petit air entendu et satisfait promené au long des cimaises lui suffit. D'ailleurs, il ne s'agit pas tant de voir que d'avoir vu. Monsieur Spitzweg sort du musée avec la satisfaction du devoir accompli. Un petit coup de soleil est revenu après la pluie. Comme on est bien dehors ! Monsieur Spitzweg arpente le bitume l'esprit libre.

Monsieur Spitzweg n'est pas un séducteur. Il devrait fumer la pipe, installer autour de lui une fumée de Hollande et de miel. Alors sa silhouette anonyme s'allongerait d'un sillage parfumé, mélancolique. On lui prêterait des conforts savoureux, un savoir-faire pour choisir le tweed et le velours, quelques amours anciennes à embrumer, peut-être ?

Monsieur Spitzweg n'est pas un séducteur. Il préfère les petits cigares. Ceux-là mêmes que les femmes appellent « d'infects petits cigares ». Monsieur Spitzweg n'a pas beaucoup de femmes à déranger. Pas d'ampleur sud-américaine, ni de volupté tropicale. Pas le côté fleur de savane, sauvage, ébouriffé, pas de grands espaces roulés sur cuisse de Cubaine. Non. Monsieur Spitzweg aime la boîte sobre bien française, le Niñas. Il ne laissera jamais traîner le petit coffret carré sur une table de café, avec cette désinvolture qui crée l'atmosphère. Il fume pour lui seul. L'amertume un rien vénéneuse du cigarillo est une chose à lui. Les jours de grande perversion, il va jusqu'à se dire que le cigarillo est mauvais pour les autres parce qu'il est bon pour soi — tout le contraire de la pipe, dont chacun se régale sauf le fumeur, réduit au rôle de grand prêtre d'un cérémonial qu'il ne savoure pas.

Le cigarillo, c'est la vraie solitude, une façon sournoise de se montrer bougon dans le plaisir. Des nuages d'aigreur lâchés à petits coups sur les trottoirs, et qui deviennent bons parce que personne ne voudra les prendre. Monsieur Spitzweg n'est pas un séducteur.

« Pourquoi me regarde-t-il ainsi, celui-là ? Qu'il garde sa jovialité pour lui, je n'en ai rien à faire ! » Monsieur Spitzweg l'a remarqué : les gens vivent beaucoup dans le regard de l'autre. Oui, cette petite minette qui finit son café à la terrasse, place Saint-Sulpice. Elle relève la tête avec une volupté qui semble dire : « Comme il est bon, ce premier soleil de mars, comme je sais le boire avec mon expresso ! »

Et ce flâneur désinvolte qui en fait un peu trop, mains dans les poches, *Le Monde* sous le bras, sifflotant d'aise ! Même le joggeur, court vêtu de maillot à trou-trous et short fluorescent, cette façon qu'il a de traverser en frôlant les voitures, avec une maîtrise de torero blasé, tellement indifférent qu'on se sent obligé de l'admirer... Mais le scooter-livreur qui l'évite en souplesse, dérape en parfait contrôle technique et s'arrête de justesse au feu rouge, l'air maussade, à quelques centimètres du landau, réclame aussi sa part.

Part bien modeste en vérité, que monsieur Spitzweg finit par accorder à tous et à chacun, malgré, parfois, les mauvais jours, un petit haussement d'épaules. Pas d'applaudissement, et même pas d'arrêt dans le sens de la marche. Simplement le salaire que tous ces artistes réclament en faisant semblant de le mépriser : juste un regard, une seconde, un battement de paupières, comme un acquiescement. Le fleuve coule, et la rumeur semble emporter tous les poissons dans le même courant. Mais deux espèces nagent côte à côte, et l'on ne choisit pas sa race. Il y a les regardants, les regardés, et les seconds ont besoin des premiers. Monsieur Spitzweg, avec son pardessus d'hiver, son imper de demi-saison, monsieur Spitzweg est regardant, bien sûr. Il s'en félicite souvent — et parfois s'y résigne.

Monsieur Spitzweg n'aime pas aller chez le docteur. Ce qu'il redoute surtout, c'est la salle d'attente. La pièce est toujours bondée, surchauffée. À l'instant où il entre, tous les regards se tournent vers lui. Il ne trouble pas une convivialité installée. Il est une distraction souhaitée dans une ambiance un peu trop molle, un peu trop lourde, une rupture attendue dans un ennui un peu trop long.

Pas si facile, de trouver le ton juste pour lancer son « bonjour messieurs dames ! ». Trop sonore, il risque de paraître emphatique, et de faire fâcheusement contraste avec le silence qui lui succédera. Trop bredouillé, presque inaudible, il le fera passer pour un timide ou pour un rustre. À l'ultime seconde, monsieur Spitzweg juge le « messieurs dames » bien solennel, et s'en tient à un « bonjour » mollement articulé, plutôt raté. Mais il sent aussitôt avec soulagement que la réponse est au moins aussi délicate. Si les occupants l'accueillaient avec enthousiasme, ils feraient injure à la tiédeur de leurs propres rapports — et puis un choral exécuté par une dizaine de voix convergentes serait ridicule. Alors, il y a le monsieur qui triture son béret et laisse échapper un vague bourdonnement d'accueil. Il y a la dame jeune et jolie qui ne dit rien, la dame âgée qui souligne sa distinction avec le seul « bonjour » vraiment formulé — et dans la clarté appuyée, la mélodie cadencée de son salut passe, sous le masque immobile, une leçon de morale valable pour chacun. Deux ou trois intervenants qui n'ont pas osé saluer dans le mouvement en conçoivent du remords, et compensent par un haussement des sourcils marié à une oscillation approbative du chef qui signifient : « Eh ! oui, il y en a, du monde ! »

Avec une audace mesurée, monsieur Spitzweg se dirige vers la petite table basse où sont empilés les numéros de *Marie-Claire*. Il croit agir avec une élégante réserve en prenant le premier exemplaire de la pile. Pas de chance. La couverture propose en caractères gras cette indiscrète question : « Avez-vous peur de la bisexualité ? » Monsieur Spitzweg ne s'est jamais interrogé à ce sujet, mais un léger rose lui monte aux joues. Sa sexualité n'est pas assez triomphante pour lui donner une absolue quiétude. La dame au bonjour sonore regarde le plafond avec une fixité un rien horripilée dont monsieur Spitzweg n'est pas dupe. Il survole le dossier en quelques secondes, repose le magazine avec une petite moue. Voilà. Il se rassoit. Il a trouvé ses marques, apprivoisé son territoire. Quelques toux alternées ponctueront seules désormais un excès de silence.

Monsieur Spitzweg ne prend jamais le métro pour aller travailler. Il préfère le bus, ou bien aller à pied — toute une trotte, de la rue Marcadet jusqu'au VIe, mais il aime ça, au début du printemps surtout, et même aux grands jours purs d'hiver.

Non, le métro n'est pas pour lui un moyen de locomotion. Monsieur Spitzweg prend le métro pour rencontrer l'humanité. C'est presque devenu une habitude. Il y a une heure très particulière où le métro se fait humain. Un jour, monsieur Spitzweg s'est retrouvé par hasard entre Saint-Lazare et La Fourche à ce moment fragile où tout bascule, où les wagons aseptisés ne transbahutent plus une foule revêche et pressée. C'était un peu après vingt heures. Il a goûté soudain cette atmosphère étrange. Pour se convaincre qu'il n'avait pas rêvé, il a repris le métro le lendemain à la même heure, sur la même ligne. Le miracle s'est reproduit. Alors, une autre fois, il a tenté sa chance vers vingt heures, à Sèvres-Babylone. Miracle confirmé. La ligne n'y était pour rien ; c'est le moment qui faisait tout.

De quoi s'agit-il ? Monsieur Spitzweg n'aime pas trop analyser, comprendre. Il préfère regarder. Après vingt heures, il y a beaucoup de monde encore dans le métro. Mais ceux qui sortent du travail le font tellement tard qu'ils ne sont même plus pressés de rentrer chez eux. Ils ont dans leur façon de s'asseoir sur les banquettes une espèce de lassitude accueillante, de bienveillance désenchantée. Alors les paumés se rapprochent. Les ivrognes et les gratteurs de guitare ne se sentent plus différents. Des conversations s'ébauchent entre l'homme-orchestre qui n'a plus la force de jouer, l'employé de bureau qui n'a plus la force de courir, le buveur qui n'a plus rien à boire. Les rames sont plus rares. On parle sur les quais. Une fois, monsieur Spitzweg entend :

— Mais non, vous n'êtes pas foutu ! À votre âge...

Entre huit heures dix et neuf heures moins le quart, c'est le métro du soir. Entre le stress de la journée, la solitude de plus tard, entre la course des branchés, les vociférations lugubres des perdus nocturnes, l'anonymat devient vivant et chaud. On ose parfois dire des choses qu'on n'a jamais dites à personne. Sur tout, surtout sur rien, la vie et puis tout ça... Et même quand on ne parle pas, il y a cette façon de s'asseoir à côté, de se tenir debout à la barre d'appui. Séparés mais ensemble. Monsieur Spitzweg prend le métro du soir pour aller nulle part.

Monsieur Spitzweg aime les premières pages des *Maigret* :

« Il avait plu tout le dimanche, une pluie froide et fine, les toits et les pavés étaient d'un noir luisant, et un brouillard jaunâtre semblait s'insinuer par les interstices des fenêtres, à tel point que madame Maigret avait dit :

— Il faudra que je pense à faire placer des bourrelets. »

Maigret et l'homme du banc

Ou encore :

« On n'avait jamais vu un mois de mars si mouillé, si froid et si lugubre. À onze heures du matin, dans les bureaux, régnait encore une aube d'exécution capitale ; on gardait les lampes allumées en plein midi et le crépuscule commençait à trois heures. »

Un échec de Maigret

Dans les premières pages des *Maigret*, il pleut, souvent. Alors on se sent bien dedans, au coin de la cheminée dans son fauteuil, ou même au café. Monsieur Spitzweg aime bien commencer un *Maigret* devant un demi pression, dans la rumeur du Penalty, rue Damrémont. On est en plein Paris, le plus souvent dans le bureau de Maigret, quai des Orfèvres — avec le vieux poêle que le commissaire n'a jamais voulu troquer contre un radiateur.

La suite intéresse beaucoup moins monsieur Spitzweg. Il perd le fil de l'enquête. Par contre, il déguste allégrement avec le commissaire toutes les petites eaux de prunelle qui jalonnent le récit. En fait, si l'on compte bien, Maigret est alcoolique. Mais de chapitre en chapitre, de meublé en bistrot, toutes les occasions de lever le coude restent des petites douceurs séparées qui donnent du cœur au ventre. Dans la vie, monsieur Spitzweg ne supporte pas les alcools blancs. Mais dans les pages de Simenon, la prunelle est digeste, légère — c'est juste la prunelle des instants.

Et puis monsieur Spitzweg aime bien le bourru taciturne. C'est un frère jumeau qui se serait marié. Ah ! oui, madame Maigret est là, partout en dessous, belle-sœur virtuelle. Elle met des bourrelets dans les interstices, fait mitonner avec amour le miroton, le râble de lapin. Certains soirs, monsieur Spitzweg a l'impression qu'il va être invité chez les Maigret. Alors, si le fumet dans l'escalier a quelque chose des dimanches d'enfance, monsieur Spitzweg se sent un petit vague à l'âme. Mais il se reprend aussitôt, retrouve bientôt avec délice la désinvolture du célibataire. Il n'est que de lire le début du *Fou de Bergerac* :

« Madame Maigret était en Alsace pour une quinzaine de jours, auprès de sa sœur qui attendait un bébé. Or, le mardi matin, le commissaire recevait une lettre d'un collègue de la Police judiciaire qui avait pris sa retraite deux ans plus tôt et qui s'était installé en Dordogne. »

Monsieur Spitzweg se sent comme un Maigret dont la femme serait partie à tout jamais pour quelques jours. Si cela lui chantait, il pourrait même sans rendre de compte à personne se promener... oh ! n'importe où... même en Dordogne.

Quand on lui demande ce qu'il pense des colonnes de Buren, monsieur Spitzweg répond qu'il considère la pyramide du Louvre comme une réussite. Il a appris à se méfier des procès d'intention. Il y a quelques années, au seul nom de Buren, il avait cru bon de faire la grimace et de lancer en reproche interrogatif une phrase ambiguë :

— Dans le jardin de Colette ?

Il se souvient encore de l'avalanche qu'il avait déclenchée. Avec des gens comme lui, on en serait encore à l'enceinte de Philippe Auguste ! Et Haussmann ? Est-ce qu'il trouvait vraiment beau tout ce qu'avait fait Haussmann ? Est-ce qu'il pouvait seulement imaginer le débat qui avait eu lieu à l'époque ?

Sous l'orage, monsieur Spitzweg sort son parapluie et se tient coi. Mais en dedans, le maelström fait son office. De cette tempête sous un crâne n'est pas née une vraie sagesse — monsieur Spitzweg ne sera jamais zen, et s'enflammera toujours de temps à autre à la cantine. Mais il a laborieusement assimilé quelques attitudes madrées. Oui pour la bibliothèque François-Mitterrand, plutôt d'accord pour Beaubourg, et, pour changer un peu, un petit non à l'Arche de la Défense — tout en concédant que le quartier a fière allure, même si l'on ne souhaite pas trop y habiter. Ce consensus est plutôt confortable. Et puis, au fil des ans, monsieur Spitzweg a fini par se convaincre lui-même. C'est rassurant, parfois, de s'affirmer contemporain. Paris n'est pas un muséum d'histoire naturelle ! Monsieur Spitzweg sort du formol, et sourit d'un air faux.

Après la cantine, quand il fait beau, monsieur Spitzweg va prendre un pot à la terrasse du bistrot, à l'angle de la rue des Saints-Pères et du boulevard Saint-Germain. Dumontier l'accompagne quelquefois.

— Qu'est-ce que vous prendrez ?

Monsieur Spitzweg fait une petite moue équivoque, accompagnée d'un haussement d'épaules. Il a déjà tellement souvent pris un pot. Et puis, c'est un peu déférence pour le commensal. Ce qui compte, c'est d'être là avec un vieux collègue, c'est le moment que l'on va boire ensemble. Mais la moue de monsieur Spitzweg se prolonge, et change de nature. De l'évasif, elle glisse vers l'hésitation. Après tout, il faudra bien choisir, même du bout des lèvres. S'il s'en moque, pourquoi monsieur Spitzweg doute-t-il encore une poignée de secondes ?

Elles comptent, ces secondes-là. Elles font défiler tous les possibles. C'est comme quand il était petit devant les bonbons de la boulangère de Kinzheim. Un demi pression ? Ah ! Kilkenny, rousseur et pluies d'Irlande soudain resserrées au fond d'un pub, loin de Paris ! Mais Leffe, l'amertume dorée des secrets de trappistes, une suavité confidentielle, dans la bure et la voussure d'une cave... Oui, la bière est tentante, avec tous ses voyages vers le nord. Mais l'envie lui vient alors de prendre l'amertume à contre-pied. Diabolo grenadine ? C'est aux antipodes, bien sûr, mais justement. Une boisson sucrée d'enfance, un rouge aux volutes alanguies, des îles tropicales en plein novembre ? Non, c'était juste pour l'idée, le contraste. La moue de monsieur Spitzweg s'accompagne à présent d'un hochement dénégatif :

— Non, un café.

Le ton indique clairement : rien qu'un café, un refus de choix. Mais c'est bien hypocrite. Ce café-là — trois petits carrés de sucre emballés, tasse minuscule vert foncé de porcelaine épaisse — cache sous sa banalité toutes les autres soifs qu'il a une à une effacées. Monsieur Spitzweg approuve distraitement les revendications syndicales de Dumontier. Mais il n'écoute pas. Il ne boit pas encore. Il regarde. Trois gouttes de pur noir qui font semblant de jouer l'indifférence.

— Oh ! moi... Quand je suis seul... Une tranche de jambon sur le papier d'emballage, pas de vaisselle et hop ! c'est vite fait !

Quand il entend un de ses collègues dire ça, monsieur Spitzweg hoche la tête. Mais lui n'a jamais pratiqué ainsi. Il met le couvert. C'est un rite, une exigence — peut-être une façon de se respecter. Il se refuse même à installer sa table ronde en face du téléviseur, à poser le journal à côté de son assiette. Il tire un peu la table vers la fenêtre de la salle à manger. Quand il fait beau, il ouvre la porte-fenêtre qui donne sur le square Carpeaux. Une rumeur monte — accélération des moteurs dans la montée en sens unique, cris d'enfants. Au printemps, les marronniers cachent les courses, les marelles, la piste de patin à roulettes. Mais on devine.

Monsieur Spitzweg ne pose pas la casserole

sur la table au début du repas. Il prend d'abord son entrée, puis se relève pour aller chercher le plat de résistance à la cuisine. Même chose pour les fruits. Après le café, il fume un cigarillo, rêvasse, le regard perdu juste au-dessus des arbres, les jambes allongées vers la fenêtre. Il peut bien s'accorder quelques minutes avant d'aller faire sa vaisselle.

— Une seule cassette ! J'enregistre, je consomme, et la fois d'après je reprends la même. De toute façon, on ne les regarde qu'une fois !

Dumontier semble très convaincu. Monsieur Spitzweg bougonne, grommelle, acquiesce, on ne sait trop. Son petit bourdonnement guttural est du genre approbateur hostile. En fait, il ne saurait souscrire à une éthique dans le domaine de l'enregistrement. Dumontier a sûrement raison. Mais l'instinct de monsieur Spitzweg le pousse sur une voie bien différente.

Au 226 rue Marcadet, les cassettes audiovisuelles prolifèrent. Elles débordent des placards, s'empilent sur les guéridons, le meuble-téléphone, composent à même le plancher de sombres gratte-ciel d'une hauteur vertigineuse et menacée... C'est venu tout seul, de film en reportage, sans attitude concertée. D'emblée, monsieur Spitzweg s'est senti bien avec son magnétoscope. Les petites lettres bleues qui défilent sur l'écran de contrôle, les hoquets tranquilles des ressorts quand on introduit la cassette. La télécommande, surtout. Ah ! oui, ce petit geste du bras dominateur qui se tend vers l'appareil, de la main qui se penche avec une autorité condescendante : obéis-moi, ma chose, soumets-moi tes fonctions. Monsieur Spitzweg a rarement senti tant de docilité. Il n'a pas de chien, pas de jardin, pas de voiture : ce qui lui obéit, c'est son magnétoscope.

Et puis, il s'agit d'enregistrer. De prévoir. De garder. De conserver. Au début, monsieur Spitzweg s'est trouvé des justifications. Toutes les bonnes émissions sont tardives. On diffuse les films intéressants parfois après minuit. Enregistrer, c'est la télévision intelligente. Avec le temps, ces prétextes n'ont pas tenu. Monsieur Spitzweg enregistre, oui. Mais il ne regarde pas souvent. Alors, pourquoi garder ? Pour plus tard ? Pour très tard. Ou pour presque toujours. Pour se bâtir une mémoire. Monsieur Spitzweg ne veut pas effacer. Sans se l'avouer, il y verrait un risque. Comme on évite les chats noirs, ou de passer sous une échelle, monsieur Spitzweg se refuse à gommer le temps cueilli, classé, domestiqué. C'est une part de sa vie, abstraite, inconsommée, mais virtuelle. Monsieur Spitzweg a moins peur de la mort au milieu des cassettes enregistrées.

Ah ! la porte à tambour du bouillon Chartier ! Chaque fois, monsieur Spitzweg éprouve le même plaisir. Ce n'est pas une de ces portes à tambour fonctionnelles, aériennes, des grandes surfaces, qui volent sur le sol et séparent les gens dans l'asepsie d'un tourbillon imperturbable. Non, la porte à tambour de chez Chartier est comme un rite initiatique. Elle résiste. Il faut la pousser, s'y introduire entre deux soubresauts hésitants, et, les mains sur la barre de laiton, se sentir un élu encore craintif. On finit tant bien que mal par se dégager, au bout du demi-tour libérateur.

Alors, c'est la rumeur des conversations croisées sous les plafonds si hauts, la course des garçons en gilet noir, chemise blanche, la sciure par terre, les glaces immenses, les porte-manteaux de métal doré. Monsieur Spitzweg connaît le code. Il faut s'asseoir en face d'un autre solitaire, le saluer comme il convient — ni trop distant ni trop aimable. Malgré l'exiguïté de la table, la convivialité se limitera à des échanges de pain et de moutarde. Si certains jours une conversation s'ébauche, il ne faudra ni s'en offusquer ni trop la prolonger. Mais le plus souvent, c'est un silence de bon aloi dans la proximité qui marque le vrai Parisien.

Le menu ? Une grande feuille blanche datée du jour, bien que son contenu soit des plus répétitifs. Monsieur Spitzweg prend toujours des harengs pommes à l'huile, puis un petit salé aux lentilles. Les serveurs l'abordent bien sec, et se font ensuite d'autant plus aimables qu'il les tient à distance — cette comédie du savoir-vivre bourru fait partie du paysage. Sur leur bras étendu, les garçons empilent jusqu'à huit assiettes pleines, décalées, qu'ils promènent entre les tables avec une héroïque indifférence.

Monsieur Spitzweg aime le petit salé. Plus encore, il aime les mots « petit salé aux lentilles ». Avec eux vient le réconfort d'une cuisine française et familiale dont la chaleur s'épanouit en buée sur les miroirs. Il y a Paris au cœur du monde. Et au cœur de Paris, Chartier. À la frontière du plaisir et de la solitude, cette intimité d'autant plus délectable qu'elle se consomme dans un brouhaha expéditif. Pas de dessert, un café. Et puis le grand jeu de l'initié : monsieur Spitzweg crayonne son addition lui-même, sur la nappe en papier, et s'en va sans même croiser le regard du serveur. Mais il sait bien que ce dernier s'approchera sans hâte dès qu'il aura le dos tourné, avec ce petit geste de la main repliée dans la poche du gilet noir pour y glisser les pièces. Chacun bien dans son rôle, et pas un mot. Tout dans la retenue, pudeur, virilité : une fin sans bavure.

L'idée du petit salé aux lentilles flotte encore dans la tête de monsieur Spitzweg quand il aborde le passage Jouffroy. Une hébétude conciliante l'engage à déguster le spectacle offert par les vitrines. C'est plus que le début d'une promenade digestive : une flânerie voluptueuse et protégée qui va le mener de passage en galerie couverte, jusqu'au Palais-Royal.

Passage Jouffroy, il y a cette étonnante boutique de cannes : baroques à pommeau sculpté, de la gueule béante d'un ours à la tête de Wagner ébouriffée ; classiques, si parfaites, ébène lisse ou bambou nervuré. Monsieur Spitzweg se surprend à désirer boiter. La boutique qui vend des photos, des affiches de cinéma, les jouets minuscules de Pain d'épices, la désuette véranda de l'hôtel Chopin. Sur tout cela flotte l'idée délicieuse de passage. C'est bien d'être un passant, quelque part dans Paris. Mais c'est encore mieux d'être passant dans un passage. Tout ce qui est goûté ne peut être compté — on n'est pas même grain de sable, il n'y a pas de plage.

Passage des Panoramas, monsieur Spitzweg se dit qu'il faut absolument aller un soir dans ce restaurant à chanteurs... Il remet l'idée à plus tard. La galerie Colbert est plus solennelle, avec la vitrine de la Bibliothèque nationale. Mais bientôt lui succède le passage des Deux-Pavillons, tarabiscoté, minuscule — un bonheur. Alors on croise une ruelle en pente. Quelques marches, et voilà : on est devant le restaurant Véfour. Véfour... monsieur Spitzweg se souvient. Au club-théâtre du lycée de Sélestat, il a joué autrefois dans une pièce de Labiche. Tout le monde se demandait pourquoi un garçon aussi timide montait sur les planches, avec autant de retenue. Mais lui, il aimait bien. Il se souvient de sa réplique, en aparté :

— Hier, j'ai fait mes farces chez Véfour !

Et cela faisait rire, à cause de Labiche, ou bien à cause de la tête de Spitzweg. Chez Véfour, le menu du jour est à trois cent soixante-dix francs. Monsieur Spitzweg n'ira jamais. Mais il regarde par-dessus les tentures de velours rouge, en se hissant sur la pointe des pieds. Le luxe des sofas, les garçons hiératiques, dans l'entrée, parmi les plantes vertes. Arnold hoche la tête, approbateur : tout ça n'est pas pour lui, mais il aime que ça existe — d'ailleurs, qui sait si les clients en profitent autant que lui ? qui sait si la grande Colette percluse d'arthrose profitait comme Arnold du Palais-Royal qui s'ouvre maintenant ?

Tout au bout, là-bas, il y a les colonnes de Buren, mais monsieur Spitzweg n'y pense pas. Il préfère s'attarder devant la vitrine savoureuse où les fantassins rutilants de l'armée napoléonienne déploient leurs fastes. À son bureau, l'artisan a saisi un hussard entre le pouce et l'index, et peint les brandebourgs dorés sur la veste verte, à touches minutieuses. Plus loin, il y a la boutique des pipes. En fumeur de Niñas, monsieur Spitzweg admire sans les désirer ces théories d'écume et de bois chaud. Plus étonnante encore est à côté l'échoppe des médailles. Les prix sont affichés sur les rubans multicolores, comme s'il suffisait de payer pour s'arroger le droit de porter sur la poitrine les somptueuses breloques du mérite agricole ou des palmes académiques. Arnold Spitzweg sourit. De quoi pourrait-on bien le médailler ? De rien, sans doute. Il est là pour passer, du passage Jouffroy jusqu'au Palais-Royal. Paris lui appartient, et les autres n'en savent rien. La prochaine fois, il abandonnera le petit salé pour tenter la blanquette.

Clémence Dufour. Le nom est imprimé en lettres blanches sur fond bleu. Le petit présentoir mobile se glisse face au client. Chacun a le sien, au bureau de la rue des Saints-Pères. Quand on a proposé cette « personnalisation », monsieur Spitzweg a haussé les épaules. Pour une fois, il a trouvé que Dumontier avait raison :

— C'est une façon de nous asservir encore plus, mon vieux ! Comme ça, on peut se plaindre de toi en t'appelant par ton nom, ça te touche davantage. Bien sûr, ils disent que c'est pour qu'on ne soit plus des numéros. Mais ton nom n'est pas donné à la foule pour qu'elle te porte en triomphe ! En fait, tu deviens moins qu'un numéro.

Pour son compte, Arnold répugne toujours à glisser son présentoir sur le rebord du comptoir, quand il s'installe au guichet. Arnold Spitzweg.

Il y a des gens qui écarquillent les yeux d'un air dubitatif. Monsieur Spitzweg guette leur réaction du coin de l'œil. Il se met tout à coup à compter les billets moins vite, à prendre bien son temps avant de retirer le carnet de caisse d'épargne de la machine automatique. Ces alentissements sont un langage à traduire à peu près ainsi : « Ah ! tu n'as jamais vu d'Arnold Spitzweg ? Eh bien, Arnold Spitzweg va jouer un peu avec tes nerfs ! »

Il faut ce tutoiement intérieur pour donner ensuite l'insolence requise au sourire mielleux, à la politesse ostentatoire :

— Voilà, monsieur. Quinze cents francs !

Si le client est particulièrement antipathique, on peut même lui souhaiter une bonne journée, mais là, on est à la limite de la rupture.

Ainsi monsieur Spitzweg n'aime guère afficher son patronyme. Il n'empêche. Ça lui fait toujours un petit quelque chose de voir le présentoir de Clémence Dufour. « Dufour » n'est pas très heureux, c'est entendu. Disons qu'il s'agit là du côté ingrat du personnage. La quarantaine un rien amère, une minceur qui tient plus de la sécheresse que de la sveltesse, le teint d'autant plus pâle que le cheveu revient de la teinture coloré trop brun. Mais il y a le côté Clémence, le jardin secret. Des yeux gris-vert, changeants, dans le regard une douceur usée, presque mélancolique. Un goût marqué pour l'art et les belles choses de la vie en général — c'est à Clémence Dufour seule qu'Arnold parle de ses émois picturaux. Une certaine élégance, trop cantonnée peut-être dans d'infimes détails, la manière de nouer un foulard sur le côté, de changer de montre en fonction de la couleur d'un pull-over — mais c'est aussi le gage d'une vraie délicatesse. Une collègue agréable, le plus souvent amène. Elle est au guichet quatre, et monsieur Spitzweg au trois. Quand Arnold a des problèmes avec l'ordinateur — ah oui, il a beaucoup de mal à s'y faire —, elle ne manque pas de venir le dépanner, mais tout discrètement, sans la moindre condescendance. De tout cela, monsieur Spitzweg avait vaguement conscience, mais cela faisait partie d'un tout, le sentiment d'être un peu en famille au bureau de la rue des Saints-Pères. Et puis un jour on a sorti les petits présentoirs. Un être singulier s'est détaché, s'est incarné en lettres blanches sur fond bleu, au guichet quatre. Clémence Dufour.

Quelque chose a changé. Avant, Arnold communiait à l'ordinaire avec les idées de Clémence Dufour, trouvait comme elle que Dumontier exagérait dans le syndicalisme obtus, que le nouveau receveur Lachaume était un faux débonnaire, un vrai sournois. Tout à coup, et sans même s'en rendre compte, il s'est mis à ratiociner sur les moindres opinions de sa collègue :

— Comment pouvez-vous dire que Gérard Depardieu est un grand acteur ? Cette petite voix maniérée sur un corps de gorille !...

Clémence Dufour a regardé Arnold, interloquée. Un client est survenu pour demander un carnet de timbres, et elle n'a pas eu le temps de répondre. Mais à midi, à la cantine, Arnold a remis ça.

— Moi, je me demande comment on peut vivre en banlieue !

Clémence habite à Bécon-les-Bruyères. Monsieur Spitzweg s'est bien gardé de croiser son regard pendant toute la diatribe qu'il a menée contre la banlieue, l'idée de la banlieue, l'irréductible médiocrité de la banlieue. Sa voix avait une désinvolture, une arrogance nouvelles, et en même temps une espèce de tremblement... Blessée, Clémence n'a pas répondu — comment dire en deux mots le charme du marché à Bécon le dimanche matin, l'importance de la frontière mentale entre Bécon et Courbevoie, la poignante nostalgie de ces printemps qui gardent au cœur des géraniums une odeur d'après-guerre ?

C'est Dumontier qui s'est mis à contrecarrer Arnold :

— Vous ne devez pas aimer Léo Ferré, Spitzweg !

Et il s'est mis à fredonner :

Moi, c'que j'aime chez les filles, c'est beaucoup mieux
...c'est la banlieue !

Arnold a haussé les épaules. Tout l'après-midi, Clémence l'a battu froid, refusant de lui prêter des formulaires de colis-express, affectant de détourner la tête chaque fois qu'il la regardait.

Le lendemain, les piques de monsieur Spitzweg ont continué, mais changé de nature. Ce n'était plus de l'agression, mais une taquinerie irritante. Clémence Dufour s'est vue moquée sur sa façon de refuser la salade de la cantine, sur le prix supposé de son nouveau chapeau... Insensiblement elle s'est détendue, et a fini par discerner dans l'attitude d'Arnold ce que le faux détachement et la balourdise cachaient mal : un intérêt manifeste pour Clémence Dufour.

Dès lors, au fil des jours, elle a commencé à lui renvoyer en écho des commentaires amers-sucrés :

— Monsieur Spitzweg, pour un vrai Parisien, vos nouveaux mocassins font un peu plouc province !

Pendant deux ou trois mois, ces petites joutes ont mis du poivre dans leur vie. Le sucre était en dessous, peut-être plus délectable ainsi, sensible à ce sourire familier qui démentait l'aigreur supposée des propos.

Et puis il y eut le choc... Quand Clémence Dufour poussa la porte du bureau, ce matin-là, monsieur Spitzweg ne put s'empêcher de lancer :

— Vous n'allez quand même pas passer la journée avec ces cheveux-là ! ?

C'en était trop pour Clémence. Arnold s'attendait à une répartie bonhomme, à fleuret moucheté. Mais Clémence Dufour mit soudain ses mains devant sa bouche, et courut pleurer au lavabo. Arnold resta plus pataud que jamais. Quelle idée avait-elle eue aussi de se teindre en presque rouge ? Puis il ravala son amour-propre, rejoignit sa collègue aux toilettes, insensible aux commentaires égrillards qu'il suscita dans son sillage. Clémence Dufour pleura longtemps devant la glace, secouant la tête en signe de dénégation. Monsieur Spitzweg lui tendit des kleenex et parla tout ce temps — très doucement. Un étrange sentiment naissait en lui, avec ce ton protecteur fraternel qu'il ne se connaissait pas. Il s'étonnait en ronronnant. Certes, il ne savait pas consoler. Mais il pouvait faire de la peine.

Alors commença la liaison de Clémence Dufour avec Arnold Spitzweg. Saint-Lazare, Pont-Cardinet, Clichy, Asnières, Courbevoie, Bécon. Monsieur Spitzweg apprit à chantonner sur cette ligne mélodique et ferroviaire. Il mit le pas sur la lisière, se laissa faire un peu, glissa vers la banlieue.

L'immeuble de Clémence était comme il fallait — très simple et d'autrefois, meulière et pierre bise, près de la voie ferrée. Accoudé au balcon du troisième, on pouvait voir s'enfuir des portées de rails à l'infini, des chemins d'habitude en route vers ailleurs mine de rien, dans des wagons brinquebalant si lentement.

Un samedi soir, Arnold et Clémence allèrent voir *Vestiges du jour* au Novelty, près de la mairie. Une belle histoire d'amour informulé qui leur noua la gorge. Une petite neige les attendait à la sortie, un silence plus gourd. Monsieur Spitzweg ne rentra pas à Paris.

Le lendemain matin, ils allèrent au marché. Arnold acheta du mimosa qui sentait loin, jusqu'à l'enfance. Il se regarda dans les vitrines et s'indigna, ravi, de son visage mal rasé. Clémence mit au four un rôti de porc dans la pointe. L'après-midi, une flèche de soleil traversa la salle à manger. Les manches de chemise retroussées, Arnold brava l'air froid pour regarder les rails au loin. Il y a toujours une semaine un peu plus douce, en février. Monsieur Spitzweg emporta pour le soir un peu de rôti froid dans un tupperware. Clémence lui fit un au revoir enjoué mais assez bref à la fenêtre. Léger, Arnold marcha, marcha, ne prit le train qu'à la gare de Clichy. Une bonne journée.

Le dimanche suivant, Clémence alla rue Marcadet. Monsieur Spitzweg l'invita chez Francis, restaurant berbère, à l'angle de la rue Lamarck et d'un escalier menant vers la butte. Il avait hésité longtemps. Devait-il mitonner un repas de son cru ? Après tout, son veau Marengo se révélait souvent plus que passable. Mais davantage que la confection du repas, c'est le parallélisme dominical qui l'arrêta. Ils n'allaient pas échanger ainsi, prêté, rendu, des rites à la vapeur, à l'étouffée. Et puis Arnold était très fier de son quartier. Cela ne lui déplaisait pas de se montrer citoyen de la Butte, presque enfant de la commune et de Bruant. Clémence refusa le couscous royal, mais les merguez et le gris Boulaouane lui mirent aux joues deux jolies taches roses, au seuil d'après-midi.

Elle ne connaissait pas la rue Saint-Vincent, le petit banc près du Lapin Agile, les quatre arpents de vigne, ni la place du Tertre. Il faisait presque bon. Les peintres avaient dressé leur chevalet. Monsieur Spitzweg voulait que Clémence pose pour un portrait au pastel. Elle refusa, mais se laissa faire pour un profil découpé aux ciseaux. Ils flânèrent au hasard de la place, s'arrêtant çà et là, les mains dans le dos, pour regarder le travail des peintres, écouter la plainte du limonaire, suivre les ébats du mime. Ils n'avaient pas besoin de se parler beaucoup.

Clémence reprit son métro à Lamarck-Caulaincourt, et Arnold lui conseilla de refuser l'ascenseur. Il descendit avec elle l'escalier vertigineux de l'étrange station-caverne. Au moment de partir, Clémence lui glissa dans la main son profil noir découpé sur fond blanc. Sur le quai, monsieur Spitzweg resta longtemps à regarder l'image, l'éloignant de ses yeux, la rapprochant. Ce petit nez à la retroussette, cette mèche sur le front... Oui, cela devait bien être Clémence. Pourtant, il ne la reconnaissait pas du tout. C'était comme une énigme. Il lui fallait la retrouver dans la surface d'ombre découpée. Pas une seconde, il ne songea à mettre en cause l'habileté de l'artiste. Non, c'était lui qui ne savait pas. Il s'irrita un peu, haussa les épaules, puis se sentit gagné par une tristesse étrange. Il finit par glisser le profil dans la poche de son imper. Il grimpa très lentement l'escalier de la station Lamarck. Là-haut, sous les réverbères, la nuit se faisait bleue — monsieur Spitzweg aurait dû être heureux.

Oh ! il y eut de jolis jours ! Un dimanche, à midi, à la Foire à la ferraille et aux jambons de Chatou, ils s'éloignèrent de la foule, et piochèrent à deux dans une barquette de frites, en marchant près de la Seine. Un samedi de février au Père-Lachaise. Clémence n'aurait jamais cru que la tombe de Jim Morrison eût davantage de visiteurs que celle de Chopin. Et puis cette complicité nouvelle, au bureau de la rue des Saints-Pères. Clémence et Arnold n'avaient rien dit à leurs collègues. Ils n'arrivaient jamais ensemble, affectaient de se saluer avec une délicieuse réserve, et ce premier sourire à la dérobée... Le monde tenait là, dans cette belle hypocrisie à la cantine, ce silence au café du coin, boulevard Saint-Germain.

— Vous croyez qu'ils se doutent de quelque chose ?

Car ils se vouvoyaient toujours, mais ça ne veut rien dire. Le « vous » s'alourdissait chaque jour de secrets partagés, de distance préservée. Le « ils » comptait aussi. Monsieur Spitzweg et Clémence Dufour n'avaient pas grand monde à qui se cacher. Lachaume, Dumontier, madame Corval n'imaginèrent pas le rôle qu'ils jouaient dans ce cache-cache un peu naïf — personne en fait ne songeait à « s'y coller » pour les surprendre.

Au mois d'avril, monsieur Spitzweg passa toute une semaine à Bécon-les-Bruyères. Ils firent l'amour, ce qu'ils redoutaient tant. Monsieur Spitzweg était resté sur ce sujet assez adolescent, avec des habitudes que le libéralisme de l'époque ne pouvait l'empêcher de trouver vaguement honteuses — de désirer peut-être honteuses. Mais ils firent tous deux preuve de bonne volonté, de patience, comme s'ils affrontaient un problème délicat. Ils se caressèrent avec une jolie confiance, sans orgueil, et furent très heureux de ne pas être complètement déçus. Après, ils burent du champagne, comme s'ils avaient réussi un examen.

Très vite, toutefois, ils commencèrent à s'agacer. Le matin, Clémence disait :

— Bon ! je vais faire la vaisselle du petit déjeuner !

« La vaisselle du petit déjeuner. » Cette

expression horripila monsieur Spitzweg. Si l'on pouvait penser à une « vaisselle du petit déjeuner », très vite dans la vie il n'y avait plus que des vaisselles.

C'était un peu excessif, bien sûr. Mais dans la vie de Clémence Dufour, il y avait quand même pas mal de vaisselles, de patins à l'entrée du salon, de « petits coups à donner » sur la table, avant de mettre le couvert. À l'inverse, elle trouvait à monsieur Spitzweg trop de cendres de Niñas éparpillées, de traces de dentifrice sur la joue, de journaux oubliés qui déteignent sur la toile cirée.

De toutes petites choses qu'on ne dit pas, bien sûr, dans l'ivresse des premiers temps. Mais de toutes petites choses accumulées depuis vingt ans, sans aucune contestation, dans l'impunité redoutable de la solitude. Ils renoncèrent bientôt à l'idée de vivre continûment ensemble. Il valait bien mieux se voir dans des moments privilégiés.

— Contrairement à ce qu'on pourrait penser, le quotidien, c'est ce qu'il y a de plus difficile à partager.

Monsieur Spitzweg assenait ça tranquillement en plongeant sa cuillère à café dans le confiturier, et Clémence Dufour se demandait bien d'où il pouvait tirer une telle sagesse.

Pour l'ordre, le rangement, Arnold et Clémence avaient deux tempéraments radicalement opposés. Monsieur Spitzweg était rangeur du dehors, enfournait au hasard des placards tout ce qui dépassait, courrier, factures, bouteilles entamées. Clémence Dufour au contraire aimait classer en profondeur, savoir que l'invisible était domestiqué dans les dossiers, les boîtes, les armoires. D'ailleurs elle pouvait jeter, à l'occasion, quand Arnold voulait tout garder. Les vidéo-cassettes empilées dans la salle à manger de la rue Marcadet furent une pomme de discorde. C'est peu dire qu'elles exaspéraient Clémence. C'est peu dire qu'Arnold y tenait.

— Des heures entières de Benny Hill ! Vous n'allez quand même pas me dire...

Sous le regard de sa compagne, Arnold dut admettre la médiocrité de certains enregistrements. Mais cet aveu le désola ; c'était un peu de son passé qu'il lui fallait trouver médiocre. Clémence lui apportait des joies nouvelles ; mais chaque éclat de lumière jetait une ombre sur une habitude, un objet chers — son petit verre à porto cerclé d'or était-il si ridicule ? Ils ne gardèrent donc que des instants privilégiés, de plus en plus instantanés, de moins en moins privilégiés. Ils renoncèrent à se toucher. Un soir de juin, près des fontaines fraîches du Trocadéro, ils se parlèrent longuement de l'amitié après l'amour, convinrent enfin que c'était difficile. Rentré chez lui, monsieur Spitzweg posa sur sa platine le C.D. du concerto pour piano n° 21 de Mozart, mouvement lent. Il tira son fauteuil vers la porte-fenêtre ouverte. Des enfants jouaient encore dans le square. Il se sentait très bien, très triste. Plus tard, il se versa deux larmes de porto dans le verre doré.

L'histoire avec Clémence est là — comme une écharde qui s'enfonce. Mais ce n'est qu'une histoire ; elle est passée, début et fin. Monsieur Spitzweg est fait pour le présent. Il reste un peu troublé : bonheur, espoir, futur, mémoire, les mots grandiloquents, tous les mots qui font mal et qu'il croyait à jamais étouffés lui laissent une trace, un écho. C'est comme si Clémence Dufour avait lancé un caillou dans l'eau : les ondes s'amplifient, puis s'espacent. Le canal va redevenir étale, il le faut.

Monsieur Spitzweg reprend son cabas. Il va faire son marché, avenue de Saint-Ouen, et c'est dimanche. Une petite phrase de Goscinny chante en lui, lui revient de l'époque où il lisait les épisodes du « Petit Nicolas » dans le journal *Pilote* : « Un marché, c'est comme une cour d'école qui sentirait bon. » Des deux côtés de l'avenue, c'est une jolie cour d'école. Il fait beau, l'air a cette fraîcheur d'eau qui précède au matin les journées les plus chaudes. Avenue de Saint-Ouen, toutes les rues autour sont rassemblées : rue Marcadet, rue Championnet, rue Ordener, rue Vauvenargues, rue Lamarck. Le béret kabyle, la casquette à l'envers et le bibi désuet se côtoient sans effort. Arnold Spitzweg est là comme un poisson dans l'eau. C'est la vraie vie. Un quartier populaire. Monsieur Spitzweg est fier de son quartier. Il sait que, pas très loin, le XVIIe peut glisser jusqu'au chic froid, avenue des Ternes, parc Monceau. Il sait que, tout près, le XVIIIe peut sombrer jusqu'à la promiscuité babylonienne de Château-Rouge. Mais le marché de l'avenue de Saint-Ouen est un joli point d'équilibre. Arnold Spitzweg achète des cerises Napoléon. Il aime bien cette presque acidité du jaune brillant qui se confond avec le rose. Le vendeur lui propose d'en croquer une et Arnold se laisse faire. Il opine du chef.

— Un peu plus d'un kilo ! Je laisse quand même ?

— Laissez.

Ce que monsieur Spitzweg préfère, c'est le sac de papier brun, avec son motif imprimé en vert et rouge : des pommes, une banane, quelques fraises, et le slogan : « Mangez des fruits. » C'est bon d'arpenter les étals en croquant des cerises.

Arnold achète un artichaut — il aime bien le cérémonial de l'artichaut, la longueur de la cuisson, le dépouillement des feuilles, puis le rituel de l'assiette relevée, un couteau en dessous pour accueillir la vinaigrette, avec le fond qui reste toujours un peu poilu. Quelques aubergines vernissées (à la poêle, en tranches fines, avec de l'ail et du persil !), trois poires Williams. Des fruits et des légumes qui demandent du temps, des gestes lents, des épluchures patientes, un rinçage des mains. Monsieur Spitzweg n'est pas pressé. Ses courses seraient bien vite faites, mais, son cabas rempli, il reste là pour le plaisir, fouille dans les cassettes de musette, se demande même s'il ne va pas acheter un portefeuille à l'Africain. Souvent, un vendeur lui fait l'article, il doit avoir la tête à ça :

— Hein, monsieur, c'est bon, le bon boudin ? C'est du boudin comme ça qu'on mangeait quand on était gosses ! Il s'en souvient, l'monsieur !

Arnold sourit d'un sourire un peu niais. Il aimerait bien répondre, mais quoi ? La vie lui a donné un rôle sans paroles. Arnold soupire. Satisfaction, tristesse ? Il ne sait jamais trop. Il va se faire cuire l'artichaut. Qu'importe s'il déjeune après une heure. Il n'y a plus de rendez-vous. Monsieur Spitzweg n'est pas pressé.

C'est la fête de la musique. Monsieur Spitzweg n'aurait jamais l'idée d'aller en célébrer l'office dans les grandes messes des concerts cardinaux, place de la Concorde, ou au forum des Halles. Mais il y a ce jour-là tout près de chez lui des manifestations solitaires qui lui donnent une émotion difficile à contenir, pourquoi ? Ce Noir qui tape sur son balafon, à l'angle de la rue du Square-Carpeaux. Les petites lamelles de bois frémissent sur les calebasses avec un éclat sourd, un chant fêlé, huileux et doux. Devant le métro Guy-Môquet, un gosse s'essouffle dans son pipeau, au milieu de l'indifférence générale. Dans l'intensité cruelle du trafic, il faut deviner les notes de *Jeux interdits*, mais le guitariste entre deux âges a eu le cran d'installer son petit tabouret et son repose-pied au milieu du trottoir, rue Ordener. Monsieur Spitzweg a déjà vu cette vieille femme faire la manche, place Clichy. Mais aujourd'hui, accroupie devant la porte de l'école, rue Lamarck, elle joue de l'harmonica.

Monsieur Spitzweg est seul à s'arrêter devant ces concertistes. Chacun d'eux interrompt quelques secondes sa concentration pour lui jeter un regard inquiet. Car ces spectacles n'ont pas l'air de rechercher de spectateurs. Alors pourquoi jouer dans la rue ? Arnold a les larmes aux yeux. Ce courage tranquille, cette royale indifférence, et cette envie pourtant... Monsieur Spitzweg n'oserait pas. Et puis, le seul instrument dont il ait quelques notions, c'est le piano. Un meuble bien trop lourd, trop encombrant. Devant le balafon, Arnold remonte ses manches de chemise et se sent tout à coup plus libre.

Mais les premiers amplis se mettent à résonner aux carrefours, et en quelques instants les musiciens légers sont écrasés. Monsieur Spitzweg secoue la tête, l'air navré. Puis il rentre chez lui, quand la fête de la musique est devenue fête du bruit.

— Vais-je léguer mon corps à la science ?

Monsieur Spitzweg s'est longtemps posé la question. L'expression « léguer son corps à la science » a bien sûr quelque chose d'un peu enflé qui prête à sourire. Mais quand il marche sur le pont Caulaincourt, au-dessus du cimetière, Arnold ne peut s'empêcher de caresser quelques pensées. Dans le meilleur des cas, les tombes sont à géraniums, à marbre froid. Et dans le pire... qui viendrait arroser des géraniums sur le caveau d'Arnold Spitzweg ? Et pas question d'un de ces jolis carrés d'herbe comme il en vit un jour dans une abbaye bénédictine. Non, l'après-Spitzweg ne promet rien de bien réconfortant. Monsieur Spitzweg affecte de ne pas s'en soucier. « La postérité, c'est un discours aux asticots. » La phrase de Céline vient conforter son cynisme latent. Certes, dans son cas, la question de la postérité ne se pose pas avec une acuité préoccupante... Dans le cimetière Caulaincourt, quelques chats s'étirent sur les tombes. Mais cette compagnie féline mise à part, monsieur Spitzweg ne voit en contrebas rien qui puisse dissiper une pénible sensation d'oubli promis.

Alors, à la science, pourquoi pas ? Cette façon clinique de se dissiper offre un certain panache. Elle a sans doute son utilité. En achetant ses chipolatas, Arnold a eu l'occasion de confier à madame Bornand qui déplorait la mort de sa voisine :

— Oh, moi, je ne compte pas embêter les gens. Je lègue mon corps à la science, et puis voilà !

Cette noble affirmation est venue d'un seul coup, d'une manière un peu précipitée par la circonstance, l'occasion de cristalliser devant témoin ce qui n'était encore qu'une vague hypothèse. Mais le destin était scellé. Arnold ne pouvait déroger sans déchoir. En remontant chez lui, il a pris une carte de visite, sur laquelle il a écrit avec une lenteur solennelle : « En cas de décès, je souhaite que mon corps soit légué à la science. »

Il a glissé la carte dans son portefeuille. Depuis, monsieur Spitzweg est soulagé.

— Je suis un peu embêté, Spitzweg. Je ne pourrai pas vous donner votre mois de vacances à cheval sur juillet et août. Ça vous ennuie beaucoup de partir seulement en août ?

Lachaume avait vraiment l'air ennuyé. Mais Arnold a haussé les épaules, et poussé un « bouf » de dérision. Les vacances...

Monsieur Spitzweg n'aime pas les vacances. Dès la mi-juillet, la rue Marcadet se vide, il y a des places pour se garer le long des trottoirs, et comme des trouées dans la rumeur, l'intensité, la plénitude de Paris. Moins de gamins dans le square. Madame Bornand part en Auvergne. Une symbolique désastreuse. Pourquoi Paris serait-il à fuir ? Arnold n'a choisi qu'une chose dans sa vie : il a choisi Paris. Si Paris ne fait plus envie, si Paris n'est plus le centre de tous les désirs, on lui inflige un camouflet. Arnold y est peut-être plus sensible encore cette année, à cause de Clémence — c'est comme une accumulation d'absences.

Monsieur Spitzweg sent qu'il est temps de faire face à l'adversité. Puisqu'il en est ainsi, il va partir, lui aussi. Et pas huit jours en Alsace chez son oncle Struber, comme d'habitude. Non, un vrai départ, vers un ailleurs, un nulle part. Et pas question de voyage organisé. D'un côté — le côté troisième âge — Arnold imagine trop bien les conversations matinales :

— À Florence, c'était mieux. On avait deux croissants, confiture à volonté.

De l'autre — le côté jeune — il faudrait supporter le gentil animateur, les allusions salaces. Non, merci. Arnold s'en ira seul, et pas au sud : il fait trop chaud, les gens sont volubiles, envahissants. Monsieur Spitzweg est tombé par hasard sur un de ses vieux disques vinyle. Léo Ferré. Paroles de Jean-Roger Caussimon :

On voyait les chevaux d'la mer
Qui plongeaient la tête la première
Et qui fracassaient leur crinière
Devant le casino désert...

Voilà l'ailleurs qu'il lui fallait. Monsieur Spitzweg a rêvé d'un mois d'août ni gris ni vert, comme à Ostende.

À Ostende, on vous vend sur le port des barquettes de poisson à déguster sur le pouce. Il y a la belle tache orange d'un peu de haddock, quelques moules, quelques crevettes, des rondelles d'oignon. On pique dans le plat avec une fourchette de plastique, et l'on marche ainsi sur la jetée, précautionneux et hiératique — il faut tenir la main bien droite, et se méfier du vent, des goélands. Sanglé dans son imperméable, monsieur Spitzweg s'avance sur la jetée. Ce petit goût fumé du haddock mêlé à la vapeur d'embruns, à l'idée de la mer du Nord, c'est délicieux. Le ciel est gris, et la couleur de l'eau vaguement nauséeuse ; mais Arnold aime ça. Malgré l'ampleur de l'espace ouvert devant lui, il se sent cotonneux, enfermé. Il donne enfin le large au vague à l'âme qui l'habite depuis deux mois. Il ne pense pas vraiment à Clémence

Dufour, mais à sa propre tristesse, qui prend au bord de cette mer une certaine allure. Toutes les plages de cinéma lui traversent l'esprit : la « si jolie petite plage » de Gérard Philipe, la plage de Deauville d'*Un homme et une femme*. Monsieur Spitzweg a maintenant le droit de jouer son rôle, il a payé pour ça. Et puis quelque chose lui dit qu'il tient mieux sa partie dans l'errance désenchantée, le lyrisme solitaire. Il relève la tête, respire l'air salé avec la profondeur amère de celui qui a vécu. Sa main est restée droite. Il va reprendre un peu de ce haddock-mélancolie.

À Ostende, le long du port, il y a comme une longue avenue de restaurants contigus, face à la mer. Monsieur Spitzweg en a choisi un presque au hasard — ils se ressemblent tous. Mais depuis, il revient chaque soir dans le même — à midi, il se contente de la barquette de haddock. Quand il pénètre dans la salle, il est presque toujours le premier. Le barman et le serveur discutent devant la caisse-enregistreuse. Ils bavardent en flamand. Chaque fois, monsieur Spitzweg sent un frisson de plaisir lui parcourir l'échine. C'est pour cela aussi qu'il a choisi Ostende : pour cette sensation de se trouver à l'étranger. Certes, il y a l'Europe, et les formalités de douane ne sont plus ce qu'elles étaient. Certes le serveur comprendra très bien la commande passée en français. Il n'empêche. Cette petite gifle de mots flamands, avec des *z*, des *v*, des *f*, a quelque chose de sauvage et doux — c'est Jacques Brel chantant *Marieke*. La nappe damassée est tout à fait flamande. Flamands les couteaux, les fourchettes, et ne parlons pas de la cassolette de moules, dont les rondeurs exagérées ont quelque chose d'ironique à force de flamandité. Un vieux monsieur s'est installé à quelques mètres, déploie un journal flamand dont les farouches titres énigmatiques donnent à l'actualité du monde entier un parfum de mystère — encore accru quand on y distingue le patronyme improbable du président français. Arnold les lit à mi-voix, en songeant avec ravissement que ça ne se prononce sûrement pas comme ça. Puis il hoche la tête, et sourit. Monsieur Spitzweg a passé la frontière.

Monsieur Spitzweg prend le car pour aller à Coxyde. Un car flamand, douillet, tranquille, rempli de petits vieux promeneurs du dimanche. Coxyde. Une station balnéaire dont Dumontier lui a parlé :

— Des glaces, mon vieux, pas croyables. T'aurais vu la tête des gosses ! Par contre, pour le temps, c'est pas Saint-Trop'.

C'est pas Saint-Trop', et c'est pour ça qu'Arnold a envie de Coxyde. Et puis le nom lui plaît, plus encore dans son orthographe flamande : Koksijde, avec ses voyelles astringentes et ses consonnes dures — pas du tout un nom pour l'hébétude et le bronzage.

À peine débarqué sur la plage, monsieur Spitzweg se sent chez lui. Il y a bien des gamins courageux qui sortent de l'eau en courant, mais c'est pour se blottir aussitôt en claquant des dents dans des draps de bain opulents. Tout le monde est en pull, voire en blouson. En plein mois d'août ! Les ventres ici ne ventripotent pas. Chaque homme reste une île, dans son plaisir maritime. De toute façon, monsieur Spitzweg ne se serait pas dévêtu : là n'est pas sa manière. Mais à ne point se dévêtir parmi les presque-nus, on suscite le doute — serait-on bien montrable ? Arnold remercie le vent frais de cette mer du Nord qui dissipe à l'avance l'équivoque. Il est en pull, comme tout un chacun. Comme tout un chacun, il s'achète une glace — vanille, prâliné, pistache — dont la tonalité s'accorde au sable, au gris-vert de la mer, aux nuages changeants. Tout en marchant, il la déguste avec une laborieuse application, compensant à petits coups de langue les différences de niveau, dans un mouvement circulaire sans défaut. Il s'arrête un instant pour regarder la mer. Vanille-prâliné-pistache en pull-over : le bonheur en flamand doit s'appeler Koksijde.

« Revoir Paris. » Arrivé à la gare du Nord, monsieur Spitzweg se surprend à siffloter la chanson de Trenet. Ah oui ! finalement, c'est surtout pour ça qu'il est parti. Dans la rumeur de sept heures du matin, une grande bouffée de Paris lui monte au cœur, et c'est plus fort que toutes les vagues de la mer du Nord. Il prend un café sur le zinc, dans les annonces des haut-parleurs : « Le T.G.V. 2525 à destination de Bruxelles partira de la voie 8... » Mais on peut bien parler d'ailleurs, Arnold sait désormais qu'il est ici. Cette désinvolture du serveur, l'odeur des journaux frais, un je-ne-sais-quoi de parisien dans l'arôme du café... Monsieur Spitz-weg reprend sa valise et hume les couloirs du métro comme un jardin d'essences rares. Les carreaux de faïence, la couleur des affiches, tout lui plaît. Dans le wagon qui le ramène à Guy-

Môquet, il y a un Noir avec un gros vélo rouillé auquel il manque une pédale. Assis sur un strapontin, le Noir a la main posée sur la selle, et un petit air de s'excuser dans le vague. À La Fourche, un accordéoniste monte dans le compartiment, et commence à jouer des javas. Les gens ne le regardent pas, mais la java leur entre dans le corps — en dépit des regards abstraits, de l'anonymat feint, des *Figaro* et des *Libération* qu'ils font semblant de lire. La foule du matin qui fait mine de rien, un Noir et son vélo, un accordéoniste. Monsieur Spitzweg est à Paris.

La Terre sans l'homme : « Selon toute vraisemblance, dans deux millions d'années, l'homme aura disparu de la planète Terre... »

Monsieur Spitzweg jubile, quand il découvre dans son journal un article de ce genre. Même chose lorsqu'un reportage télévisé lui parle du big bang. Chaque homme n'est qu'un grain de sable sur une plage immense. Certes, la plupart des humains ont cette conviction cachée au fond d'eux-mêmes. Mais Arnold se délecte à être grain de sable. Dans la librairie de la rue Damrémont, il se précipite sur ces romans à la mode dont les fourmis sont les héroïnes. Pourtant, monsieur Spitzweg ne semble pas à l'habitude un fervent de la fourmilière. On ne peut pas dire qu'il grimpe sur ses congénères, s'agglutine... Et pour l'obsession du travail... Mais il aime sentir que les hommes-fourmis sont soumis au même destin, que l'un ne vaut pas plus que l'autre mais pas moins.

Savez-vous qu'il s'endort avec un vieux manuel d'histoire ? Les milliers de morts de la Révolution lui font du bien, le massacre de la Saint-Barthélemy lui est un baume. Ce n'est pas du sadisme, Arnold est le plus doux des hommes. Mais il éprouve un profond réconfort à sentir qu'on ne décide rien, que des forces nous mènent, nous dépassent, au mieux nous abandonnent sur la plage. Monsieur Spitzweg n'a pas taillé vraiment le grain de sable à ses mesures, mais de loin... Il s'enfouit dans le sable, bientôt le sommeil vient.

C'est encore l'été. Monsieur Spitzweg a gardé quelques jours de vacances à passer à Paris. Surtout, ne croyez pas qu'il en profite pour faire la grasse matinée. Il met son réveil à cinq heures, et va marcher. Pont Caulaincourt, cinq heures et quart : les tombes en contrebas sont pâles, presque blanches. Place Clichy, Arnold boirait bien un petit noir à la terrasse d'un café, mais ils sont tous fermés. Debout près d'un banc, un clochard réveillé écoute les informations sur un vieux transistor. Monsieur Spitzweg descend vers Saint-Lazare. Une clarté diffuse vient au rythme de ses pas. Six heures à la Madeleine : les réverbères s'éteignent. Tout d'un coup, il fait jour. Les merveilles des vitrines de Fauchon dorment sous des draps blancs. Le vrombissement d'un scooter amplifie l'espace, donne tout son prix au silence qui retombe. Arnold atteint la Concorde, et se sent libre. Il a le choix. Remonter vers les Champs-Élysées, suivre la Seine jusqu'à Notre-Dame, ou bien gagner la rive gauche vers le Quartier latin.

Il se décide au dernier moment. Le plus souvent, il choisit le boulevard Saint-Germain, parce que c'est plus amusant de déguster son quartier de travail dans une ambiance différente. Le trafic commence à s'intensifier, mais devant Le Flore et Les Deux Magots, les garçons installent les chaises, nettoient les tables. Paris s'ébroue, mais rien encore à consommer. L'aurore vient en haut des tours de Saint-Sulpice, un feu très doux sur pierre blonde. Monsieur Spitzweg s'assoit sur un banc. On entend le jet d'eau couler sous la statue de Bossuet. Pour revenir chez lui, Arnold prendra peut-être le métro : c'est bon de se mêler à tous quand on a goûté la lisière.

Dans le métro, à Saint-Lazare, au pied de l'escalier, direction Mairie d'Issy, il y a un aveugle. Les années passent, mais lui, on dirait qu'il est toujours là — est-ce qu'il se couche seulement, est-ce qu'il abandonne parfois son point de guet, de veille ? Autrefois il chantait, des chansons de Piaf le plus souvent — une belle voix : *L'hymne à l'amour* vous faisait frissonner de peur et de plaisir, répercuté sur les voûtes. Mais depuis bien longtemps, il se contente de tenir devant lui un petit magnétophone qui dévide le même répertoire. Le gros chien-loup couché à ses pieds a dû changer aussi, monsieur Spitzweg ne saurait l'affirmer. L'aveugle est là, debout, le visage un peu relevé. Lunettes noires, canne blanche, imperméable terne, cheveux encore noirs lissés en arrière. Arnold lui a toujours donné une pièce en passant. Monsieur

Spitzweg n'est pas superstitieux, mais il lui semble qu'il lui arriverait malheur s'il omettait une seule fois de livrer son obole. La pièce tombe dans un petit gobelet de plastique, et alors c'est toujours la même phrase chantonnée :

— Merci à vous, bonne journée !

Autrefois, l'aveugle interrompait sa chanson pour la lancer. À présent, il se contente de la moduler très fort, par-dessus le magnétophone.

Arnold s'éloigne vite : c'est un peu gênant d'entendre ainsi sa générosité claironnée jusqu'au bout du couloir. Il n'a jamais dit un mot à l'aveugle. Quoi dire ? S'étonner de sa permanence, de son allure de statue vivante, pétrifiée pour l'éternité sur un coin de bitume, direction Mairie-d'Issy ? Monsieur Spitzweg s'est souvent demandé si dans la foule l'aveugle reconnaissait parfois un pas familier, une façon particulière de poser la pièce dans le gobelet. Mais non, sans doute. Il ne vous connaît pas. On le connaît. Les années passent. Monsieur Spitzweg trouve toujours une bonne raison pour prendre le métro à Saint-Lazare.

C'est la reprise du championnat de France de football. Monsieur Spitzweg n'a pour cette noble compétition qu'une passion modérée. Il ne va pas s'abonner à Canal + pour suivre les matchs à la télévision, ni coller son oreille au transistor pour les grandes soirées du multiplex. Pour rien au monde il n'irait au parc des Princes, dont l'immensité mortifère le glace à l'avance. Mais monsieur Spitzweg aime le foot. Il a joué, en poussins, en minimes, dans l'équipe de Kinzheim, à la place il est vrai peu spectaculaire d'arrière latéral — disons que ses dispositions techniques ne lui permettaient pas d'envisager un rôle plus créatif, mais il était dur sur l'homme, et teigneux à la garde de son ailier. Il a arrêté en cadets — à quoi bon rivaliser avec Wolheber, qui marquait tous les buts ? Hélène Necker n'avait d'yeux que pour cet avant-centre envahissant... Il n'empêche. Quelque part, Arnold a conservé la nostalgie du foot. Il va de temps à autre étancher cette soif au stade de Saint-Ouen. Oui, là il se sent chez lui. Le public est chaud, mais n'excède jamais cinq mille spectateurs. L'équipe du Red Star — même si l'on sait bien ce qu'il en est dans le football professionnel — semble l'émanation du quartier, de la banlieue qui l'entourent. Son nom l'atteste : Red Star Olympique Audonien. Arnold est familier du maillot vert. Bien sûr, depuis longtemps le Red Star est descendu en deuxième division. Mais c'est bien, la deuxième division. Le jeu y est de qualité correcte, sans cette suspicion qui plane sur les événements trop conséquents.

Chaque année, monsieur Spitzweg est là le jour de la reprise. Il flotte encore un parfum de vacances dans l'assistance. Il fait beau, souvent, et c'est un peu un adieu à l'été, dans l'approximation des passes des nouveaux coéquipiers. Et puis, pourquoi se le cacher, monsieur Spitzweg aime beaucoup les merguez-frites à la mi-temps. À Saint-Ouen, ils font fort : il y a même des sandwichs aux frites ! Arnold a l'impression d'être très raisonnable pour son cholestérol avec ses deux saucisses dans sa barquette de portion moyenne.

La convivialité du foot est très particulière.

Dès la reprise de la seconde mi-temps, le gros monsieur rouge qui l'ignorait jusque-là se tourne vers Arnold, une cannette de bière à la main :

— Il touche pas une bille, celui-là !

Et, surpris de son propre naturel, monsieur Spitzweg fait aussitôt écho :

— Quand on pense qu'ils ont laissé Ramirez sur le banc !

Le dialogue s'en tiendra là, mais la tonalité de la soirée en sera bien changée. Ivres d'assentiment farouche et de juste colère contenue, monsieur Spitzweg et son voisin vont désormais vibrer à l'unisson, épaule contre épaule. Mais à la fin du match, ils ne se diront pas bonsoir. C'est comme ça que ça se passe.

— Alors, Spitzweg, même pas un petit nombre ? Histoire de parier avec les copains ! Pour la rentrée d'automne ! ?

Arnold hausse les épaules. Dumontier l'agace. Non, il ne jouera pas au Loto. Certes, ce pari collectif a un côté convivial dont monsieur Spitzweg ne nie pas l'attrait. À chaque fois c'est, dans le bureau de la rue des Saints-Pères, une grande bouffée d'air frais. Madame Corval joue l'année de naissance de sa grand-mère, et Clémence Dufour fait semblant d'hésiter — mais elle choisit le dix-huit, avec un petit coup d'œil mélancolique vers Arnold — une allusion discrète au XVIIIe, à ces quelques journées flânées ensemble dans le Paris-Spitzweg.

— Monsieur le receveur ? Un petit pari ?

Lachaume bougonne pour la forme et, provocant, revendique le treize. Puis Dumontier, à grands effets de manches belmondesques, évoque la vie spectaculaire qui va s'offrir à eux, hôtels de luxe, piscines, yachts et casinos.

— En attendant, Dumontier, vous serez gentil de ne pas oublier les prospectus pour les plans d'épargne !

On sourit, on pouffe, une onde de plaisir traverse le bureau. Mais Arnold ne joue pas. Pas même au Loto sportif, malgré ses compétences dans le domaine du football. Monsieur Spitzweg est-il si satisfait de sa vie ? Peut-être. De son compte en banque, sûrement. Il aime bien sentir au fond de sa poche les huit billets de cent francs qu'il prélève chaque semaine. La boîte de Niñas qu'il achète au Penalty tire toute sa saveur de cette demi-aisance. Il a dû faire quelques calculs avant son voyage à Ostende, et les barquettes de haddock n'en furent que plus savoureuses. Un Français moyen, dans un quartier populaire de Paris : voilà ce qu'il faut pour goûter le monde à la Spitzweg. À quoi bon vouloir autre chose ? Arnold peut s'offrir quand il veut une place au stade de Saint-Ouen, un repas chez Francis, un Niñas, un demi. Lorsque Dumontier a parlé de palace, il s'est vu quelques instants fugaces à Cannes, dans l'entrée du Majestic. Un garçon prendrait sa valise et lui resterait là, niaiseux, sans trop savoir comment lui offrir un pourboire.

Certes, monsieur Spitzweg a conservé au fond de lui le piment fou de quelques rêves : Istanbul par l'Orient-Express, un tour de la Toscane en Jaguar vert anglais — sans trop savoir pourquoi il mêle ainsi la ronce de noyer, la douceur franciscaine. Mais il s'agit précisément de plaisirs impossibles, réfractaires à jamais à l'enveloppe humaine d'un Spitzweg. Y accéder par l'entremise d'un bulletin de Loto sportif, c'est pour Arnold une assez bonne définition de la vulgarité. Monsieur Spitzweg est bien trop orgueilleux. Il fume son Niñas et boit sa bière.

Monsieur Spitzweg ne parie pas. Mais il a failli jouer. Un jeu télévisé fameux qu'il ne connaissait pas, mais entendait souvent évoquer à la cantine. Un jour, madame Corval lui a lancé :

— C'est vous qui devriez y aller, monsieur Spitzweg ! Vous qui savez toujours tout !

Arnold a rougi, bafouillé, plus surpris encore que confus.

— Moi qui sais toujours tout ?

Monsieur Spitzweg a rarement l'occasion d'entendre un compliment. Mais au sujet de sa culture, c'était vraiment inespéré. Pendant longtemps, Arnold a pensé qu'il était d'une ignorance lamentable. Élève consciencieux mais distrait, il n'a jamais brillé en classe. Depuis la fin de ses études, il se contente de lire le journal, va très peu au spectacle, bien rarement au cinéma.

Si ses complexes se sont atténués à travers les années, c'est qu'il n'a plus souvent l'occasion d'être jugé. Aussi l'enthousiasme de madame Corval lui a-t-il paru d'abord inconvenant. Mais Dumontier a pris aussitôt le relais :

— Mais oui ! les dates des films, les élections, les conflits internationaux, les compétitions sportives : vous savez toujours tous les noms, tous les chiffres !

Ah ! s'il s'agissait de cela... Oui, monsieur Spitzweg a dû en convenir : il a une excellente mémoire. Les noms propres s'inscrivent dans son esprit avec une précision qui lui paraît toute naturelle mais fait l'étonnement de ses semblables.

Arnold a regardé *Questions pour un champion*. Les questionnaires lui ont semblé très abordables. Alors, pourquoi ne pas se lancer ? Avec un peu de chance, il aurait pu revenir deux ou trois fois, se faire une petite célébrité chez les commerçants de son quartier, justifier le pronostic de madame Corval. Hélène Necker l'aurait peut-être vu, en Alsace, et son grand Wolheber en aurait pris un coup. Oui, tout cela était assez tentant... Arnold s'est même inscrit aux épreuves de sélection. Qu'est-ce qui a bien pu le dissuader au dernier moment ? Les plaisanteries de l'animateur, peut-être. Monsieur Spitzweg n'a jamais été très fort dans l'ironie, le deuxième degré. L'idée de se trouver mis en difficulté devant des millions de regards...

C'est ce qu'il a prétexté à la cantine, pour justifier son renoncement. Il se sentait de mauvaise foi, en disant ça. L'autre raison n'était pas si facile à avouer. Pendant quelques journées, Arnold a été très troublé. Ce don pour retenir les faits, les gestes, ce don qu'il ne se savait pas mais qu'il fallait bien reconnaître, Arnold a craint de trop le glorifier. Il n'en était pas vraiment fier, mais tout à coup plus loin, plus triste. À tant s'analyser, monsieur Spitzweg est allé jusqu'à inventer ce bien étrange paradoxe : « Oui, j'ai de la mémoire, car je n'ai pas de souvenirs. »

Les marronniers sont juste un peu plus pâles, dans le square Carpeaux. Il fait encore très beau, très chaud. Mais monsieur Spitzweg l'a bien senti. Un je-ne-sais-quoi de trop sucré dans le soleil de fin d'après-midi. Une brume plus fraîche dans la rumeur du petit matin. L'automne va commencer. Oh certes, ce n'est pas Kinzheim. Il n'y aura pas les mûres à cueillir dans les haies, les cèpes au creux de la forêt vosgienne, le raisin blond dans les vignes penchées. Mais c'est peut-être encore mieux ainsi. L'automne de Paris, c'est d'abord dans la tête.

Monsieur Spitzweg dépense bien peu pour son habillement. Mais, presque chaque année, il s'achète un nouveau pull d'automne.

— Comment, déjà en pull-over, Spitzweg ?

Oui, Arnold aime enfiler son pull juste un peu trop tôt, parfois sur une chemisette — et cette sensation de rêche sur les avant-bras, c'est délicieux. Le brun, le chocolat, le vert chardon, le vert Irlande : les tons du pull-over se déclinent en camaïeu, toujours les mêmes, en apparence. Mais pour Arnold, c'est chaque fois comme une forêt nouvelle qu'il s'achète. Une forêt mentale où s'enfoncer en plein cœur de Paris.

Pour faire bonne mesure, il renouvelle aussi sa gomme, son stylo. Il fait ses courses de rentrée, gourmand, entre les gosses et les mères pressées qui enfournent au petit bonheur les objets des listes scolaires. Dehors, les quais sont presque bleus, dans la lumière de septembre. Mais monsieur Spitzweg est ailleurs. Il s'habille de neuf, et commence à finir.

Si la liaison avec Clémence Dufour s'était poursuivie, auraient-ils voulu un enfant ? Les connaissances gynécologiques de monsieur Spitzweg sont assez limitées, mais il croit savoir que l'âge de Clémence eût constitué à cet égard un probable dilemme. Trop jeune pour que l'idée fût écartée d'emblée, Clémence a sans nul doute atteint le seuil où les idées d'enfantement doivent être entourées de réserves et de précautions. Mais pourquoi faire porter l'ambiguïté de la question sur la réalité biologique, et la seule responsabilité d'une éventuelle compagne ? Arnold se rend bien compte qu'il s'agit davantage d'un problème métaphysique.

La promesse d'un enfant eût-elle été pour lui un bonheur ou une catastrophe ? Arnold hoche la tête. Il y a suffisamment d'horreurs sur terre pour justifier le renoncement à ce projet. Tant d'abêtissement aussi autour des landaus du square Carpeaux, tant de : « C'est mignon comme ça, ça ne devrait jamais grandir ! »

Quant à l'odeur des couches, Arnold lui préfère à peine celle du lait Poupina.

Mauvais prétextes, il le sent bien, auxquels une envie franche ne résisterait guère. Mais Arnold, à l'inverse, n'ose s'abandonner à l'idée qu'un enfant eût tout changé dans sa vie. En mieux, en pire ? Monsieur Spitzweg ne veut pas s'avouer que ce pût être en mieux. C'est une idée trop déchirante, qui lui vient aux heures d'insomnie, et qu'il endort avec un Témesta. La vie est redevenue lisse à son réveil. Avant de boire son café, il descend prendre le journal. L'horoscope du jour ne veut prévoir ni bonheur ni catastrophe.

Souvent, monsieur Spitzweg va marcher au hasard, le samedi, le dimanche matin — ah ! cette petite effervescence du dimanche matin, cette odeur de poulet rôti que suivront l'après-midi tant de promenades de famille à pas gourds, tant de mélancolie ! Il a ses préférences, fonction de ses humeurs : le canal Saint-Martin quand il a le moral, et les Buttes-Chaumont, les jours de nostalgie. Mais il aime aussi ne pas savoir vraiment où il se trouve, arpenter l'anonymat des boulevards extérieurs, puis prendre une radiale et plonger tout à coup dans l'atmosphère d'un quartier.

Ses pas l'ont emmené ce matin jusqu'au marché Georges-Brassens. Tous ces étals de cartes postales anciennes, de buvards, de soldats de plomb, de timbres-poste, de voitures miniatures... Ici les gens ne se regardent pas : au coude à coude ils vivent leur passion, ignorent le voisin. Seul compte le tête-à-tête avec le vendeur. Sous la nonchalance apparente des marchandages il y a comme un aveu, une fébrilité inquiète, émouvante. Pour certains, l'essentiel a les couleurs d'une Maserati Dinky Toys au 1/43ᵉ, dans sa boîte en carton jaune ; pour d'autres, celles d'une locomotive et son tender très réaliste, avec les morceaux de charbon coagulés.

Monsieur Spitzweg regarde d'abord d'un peu loin. Mais on ne peut rester longtemps voyeur dans ce manège, ce serait indélicat. Alors, Arnold passe devant les stands, jette un coup d'œil amusé, distant. Soudain, son regard change. Sur cette pile du journal *Tintin*, année 1959, la couverture l'appelle. Spécial Noël. 45 pages. Le sapin noir, et dans chacune des boules rouges des visages familiers : Tintin, Haddock, Tournesol, la Castafiore. Monsieur Spitzweg est pétrifié. Par contenance, il demande le prix en bredouillant.

— C'est l'année 59 qui vous intéresse ? 52 numéros, huit cents francs !

Oh non ! Arnold ne veut pas toute l'année ! Pour lui, le désir de *Tintin* commence avec ce numéro spécial Noël. Les boules rouges, le sapin noir. Ses parents l'avaient abonné. Deux jours avant Noël, le numéro était arrivé par la poste avec la petite bande : Arnold Spitzweg, place de la Fontaine, Kinzheim (Bas-Rhin).

On ne vend pas les numéros à l'unité. De toute façon monsieur Spitzweg n'a demandé ça que pour la forme. C'est beaucoup trop fort, ça fait beaucoup trop mal ; dans ces cas-là, Arnold prend la fuite. Monsieur Spitzweg fait semblant de regarder quelques soldats de plomb, puis il s'éloigne, bientôt soulagé. Comme c'est bon, l'anonymat des boulevards de ceinture !

Madame Corval est une collègue sympathique, dynamique, enjouée. Mais elle a quelque peu tendance à se mêler de ce qui ne la regarde pas. Arnold a horreur de l'entendre revenir périodiquement à la charge :

— Mais comment faites-vous pour ne pas vous ennuyer, monsieur Spitzweg ?

— Ma chère madame Corval, dites-vous une fois pour toutes que je ne connais pas le sens du mot « ennui ».

— Bon, je veux bien. Mais il faut se sentir utile à quelque chose ! Il y a tellement d'associations ! Moi, si je ne participais pas au vestiaire d'entraide, ça me manquerait beaucoup. Croyez-moi, c'est en donnant aux autres qu'on reçoit !

Monsieur Spitzweg fait la grimace. Passe encore de donner. Malgré ses habitudes de célibataire, il n'a jamais été radin. À chaque voyage en Alsace, il comble de cadeaux les enfants de ses cousins Struber. Il résiste très peu aux sollicitations des mendiants de tout poil qui fleurissent aux quatre coins de la capitale, se montre plus que généreux pour le calendrier des Postes et celui des pompiers. Non, donner ne lui a jamais paru désagréable. Mais à la seule idée de recevoir... Madame Corval a mal choisi sa stratégie.

Monsieur Spitzweg se souvient. C'était au club théâtre du lycée de Sélestat. *Le voyage de monsieur Perrichon*, une autre pièce de Labiche — *L'affaire de la rue de Lourcine* avait été un tel succès, l'année précédente ! Arnold avait été durablement impressionné par une succession de scènes. Monsieur Perrichon est sauvé d'une chute en montagne par un prétendant de sa fille. Puis lui-même sauve un autre prétendant. Et, bien sûr, il n'a que sourde rancœur pour son sauveteur, et tendresse mouillée pour le jeune homme qui lui doit la vie. Arnold était en terminale, les cours de philosophie ne le passionnaient guère. Mais, tout à coup, il lui avait semblé toucher du doigt par l'entremise de Labiche le fond de la nature humaine — de la sienne, en tout cas.

Bien sûr, cela prouve qu'on est mauvais, bien sûr, c'est vaguement honteux, bien sûr, c'est ridicule. Mais il faut faire avec, et toute la vie de monsieur Spitzweg est soigneusement bâtie sur l'absence de gratitude. Après tout, il n'ennuie personne. Passe encore de donner, mais recevoir !

C'est presque la Toussaint. Aux Tuileries, les marronniers ont mis du brun, de l'or, mais les feuilles ne tombent pas encore. Chaque année c'est pareil. On croit tenir l'automne avec ce mot d'octobre si long en bouche, si solennel, si fruité, si finissant. Mais chaque année novembre est le vrai mois d'automne.

Près du bassin, le loueur de voiliers est revenu l'après-midi — les vacances scolaires, sûrement. Son chariot est comme un rite initiatique, assemblage hétéroclite de planches et de roues de landau. Monsieur Spitzweg aime ces voiliers à la quille profonde, aux voiles rêches de drap lourd, orange, bises, blanc cassé. Il n'éprouve aucune honte à louer un bateau. Ce soir, le sien est d'un bleu délavé qui dut être indigo. Arnold approche une ronde chaise blanche et, les pieds posés sur le bord du bassin, propulse son navire avec le bout de la badine. Un seul coup mais parfait, médité, sur la poupe plate. Le voilier file sans entrave, et puis bientôt commence à se distraire dans les vagues concentriques en se rapprochant du jet d'eau. Si madame Corval pouvait voir monsieur Spitzweg ! En traversant les premières gouttelettes, son voilier croise un arc-en-ciel fugace. D'autres embarcations se sont échouées contre la pierre, au centre du bassin. Mais ce soir encore, le voilier d'Arnold a de la chance, et se contente de tourner, frôle la collision, se reprend, puis un souffle de vent le ramène à la haute mer. Tout autour du bassin, des gosses poussent des cris d'effroi, d'excitation, courent ici et là, se penchent pour relancer leur bateau dès qu'il s'approche un peu du bord. Mais le voilier d'Arnold est parti d'un seul coup, pour une croisière au long cours. Une petite tache indigo pâle et ce sillage... Ah ! non, monsieur Spitzweg ne s'ennuie pas !

— Vous comprenez, Spitzweg, là, au moins, je suis tranquille. Le poisson, oui, bien sûr, mais au fond j'm'en fous un peu. La plupart du temps, j'le r'mets à l'eau avant de partir. Ma femme en a marre, de préparer du poisson. Non, c'qui m'intéresse, c'est juste la capture, le moment où ça mord, où on sent quelque chose qui s'passe. Et puis l'essentiel, c'est d'être là, assis au bord de l'eau. Je fume ma cigarette, je n'pense à rien... Le bonheur !

Monsieur Spitzweg tourne sa cuillère dans sa tasse de café et fait oui oui. Dumontier a l'air très sûr de lui, très philosophe. Mais il y a dans son discours une petite fêlure, un je-ne-sais-quoi de véhémence puérile.

— Ça n'vous a jamais tenté, la pêche, Spitzweg ?

— Oh, moi...

Arnold en remet un peu dans la fausse modestie. Enfant, il a taquiné le goujon, mais la pêche à la truite n'était pas pour lui. Il n'a jamais su se servir d'un moulinet. Il emmêlait toujours. Dumontier se rengorge, un rien condescendant :

— Mais non, tout ça c'est tellement simple, je vous jure...

Monsieur Spitzweg est quelquefois pervers. Il adore jouer l'ignorance complète, la maladresse rédhibitoire. Mais Dumontier a-t-il bien su traduire ce petit sourire, sur les lèvres d'Arnold ? Au fond de son humilité, monsieur Spitzweg triomphe. Il pense simplement que si l'envie lui prenait de s'asseoir au bord d'une rivière, il n'aurait pas besoin de prétendre pêcher.

Il va neiger dans quelques jours.
Je me souviens de l'an dernier,
Je me souviens de mes tristesses au coin du feu.
Si l'on m'avait demandé — qu'est-ce ?
J'aurais dit : — Laissez-moi tranquille, ce n'est rien.

Monsieur Spitzweg se souvient de ce poème de Francis Jammes. Il était en cinquième. Le professeur avait parlé de maladresse volontaire, puis il était parti dans son explication de texte. Arnold ne l'avait pas suivi. Il était resté sur ce premier vers étrange. « Il va neiger dans quelques jours. »

La neige, Arnold l'espérait toujours. Dans les ruelles de Kinzheim, elle signifiait tant de parties de luge avec Hélène Necker — et quelquefois, on se contentait de glisser sur un plateau-apéritif, quand le cordonnier Apfelbaum avait déjà prêté sa luge. Bien sûr, la neige, on pouvait l'espérer. Mais la prévoir ? « Il va neiger dans quelques jours. » C'était presque absurde, ces mots qui venaient là, dans la chaleur-ennui de la classe du soir. Un peu magique aussi. Puis il avait fallu apprendre le poème. Arnold entend encore la voix d'Hélène, légère, comme étonnée par un mystère, la voix monocorde et boudeuse de Wolheber.

L'accent d'Alsace monte la rue Marcadet. Le front contre la vitre, Arnold se demande bien pourquoi cet agaçant poème lui revient, un jour étale de novembre. Monsieur Spitzweg n'attend plus rien. Il va neiger dans quelques jours.

DU MÊME AUTEUR

Aux Éditions Gallimard

LA PREMIÈRE GORGÉE DE BIÈRE ET AUTRES PLAISIRS MINUSCULES (prix Grandgousier 1997), collection L'Arpenteur

ELLE S'APPELAIT MARINE, collection Folio Junior

Aux Éditions du Mercure de France

IL AVAIT PLU TOUT LE DIMANCHE

Aux Éditions du Rocher

LA CINQUIÈME SAISON

UN ÉTÉ POUR MÉMOIRE

LE BONHEUR-TABLEAUX ET BAVARDAGES

LE BUVEUR DE TEMPS

LE MIROIR DE MA MÈRE (en collaboration avec Marthe Delerm)

AUTUMN (prix Alain-Fournier 1990), Folio, n° 3166

LES AMOUREUX DE L'HÔTEL DE VILLE

MISTER MOUSE

L'ENVOL

SUNDBORN OU LES JOURS DE LUMIÈRE (prix des Libraires 1997 et prix national des Bibliothécaires 1997), reprise en Folio, n° 3041)

PANIER DE FRUITS

LE PORTIQUE

Aux Éditions Milan

C'EST BIEN

EN PLEINE LUCARNE

C'EST TOUJOURS BIEN

Aux Éditions Stock

LES CHEMINS NOUS INVENTENT

Aux Éditions Champ Vallon

ROUEN collection « Des villes »

Aux Éditions Magnard Jeunesse

SORTILÈGE AU MUSÉUM

LA MALÉDICTION DES RUINES

Composition Euronumérique.
Impression Bussière à Saint-Amand (Cher),
le 13 décembre 1999.
Dépôt légal : décembre 1999.
Numéro d'imprimeur : 2808.
ISBN 2-07-041155-9./Imprimé en France.

92876